YR AWDUR

Magwyd Catrin yn y Gaerwen, Ynys Môn. Bu'n athrawes Ddrama yn Ysgol Gyfun Llanhari ac Ysgol y Creuddyn ac erbyn hyn mae'n Ddirprwy Bennaeth yn Ysgol Uwchradd Bodedern. Mae wrth ei bodd yn mynychu'r theatr, yn ogystal â chyfarwyddo dramâu, hyfforddi a beirniadu. Mae'n aelod o fwrdd rheoli Cwmni'r Frân Wen ac yn Gyfarwyddydd Artistig Theatr Fach Llangefni.

Cardiff Libraries
www.cardiff.gov.uk/libraries

Llyfrgelloedd Caerdydd
www.caerdydd.gov.uk/llyfrgelloedd

ACC. No: 02903870

GWASTRAFF

GWASTRAFF

CATRIN JONES HUGHES

Argraffiad cyntaf: 2012

© Catrin Jones Hughes a'r Lolfa Cyf., 2012

Mae hawlfraint ar gynnwys y llyfr hwn ac mae'n anghyfreithlon
i atgynhyrchu unrhyw ran ohono trwy unrhyw ddull ac at
unrhyw bwrpas (ar wahân i adolygu) heb ganiatâd ysgrifenedig y
cyhoeddwyr ymlaen llaw.

Rhif Llyfr Rhyngwladol: 978 1 84771 437 4

Comisiynwyd Cyfres Copa gyda chymorth ariannol
Adran AdAS Llywodraeth Cymru

Cyhoeddwyd, argraffwyd a rhwymwyd yng Nghymru gan
Y Lolfa Cyf., Talybont, Ceredigion SY24 5HE
e-bost ylolfa@ylolfa.com
gwefan www.ylolfa.com
ffôn (01970) 832 304
ffacs 832 782

CYMERIADAU

Sam
Bachgen 15 oed. Bychan o ran corff ac yn fwy plentynnaidd na gweddill y criw. Bywiog a phryfoclyd ond yn cael ei bryfocio'n arw hefyd. Ansicr ynglŷn â'i ddyfodol. Mae ei frawd mawr yn y fyddin.

Anna
Merch 15 oed. Tawel ar y cyfan. O gefndir cyfforddus ond yn hawdd i'w harwain, yn ôl pob golwg.

Jo
Merch 15 oed, bron yn 16 oed. Hyderus, cegog, tipyn o fwli ar adegau. Ceisio plesio'r criw drwy drefnu iddynt gael alcohol. Ffansïo'r bachgen hŷn, Rob.

Rob
Bachgen hŷn 17 oed sydd bellach wedi "tyfu allan" o fod gyda'r criw. Gwell ganddo rŵan gwmni'r rhai sy'n gyrru car swnllyd ac yn tarfu ar bobl y pentref.

Dyn
Nid oes raid iddo fod o oed arbennig ond mae

dirgelwch yn perthyn iddo. Dylai ei ddewis
o wisg fod yn amwys rhag gallu ei gysylltu â
chyfnod penodol.

LLEOLIAD A CHYFNOD
Gardd goffa gyda chofeb i filwyr o'r ddau ryfel
byd mewn pentref yng ngogledd Cymru.
Y presennol.

GWISGOEDD A PHROPIAU
Gwisgoedd cyfoes sydd gan y bobl ifanc, sy'n
adlewyrchu eu personoliaethau e.e. gall **Sam**
wisgo'n fwy plentynnaidd na'r gweddill; bydd
crys-T **Jo** yn dangos mor hyderus ydi hi'n
gorfforol ac o bosib bydd dillad **Anna** yn rhai
mwy drud na'r gweddill. Nid yw'r oerfel yn eu
poeni felly anaml iawn y gwelwn hwy yn gwisgo
cotiau ac eithrio rhai tenau defnydd tracwisg.
Rhoddir pwyslais yn hytrach ar yr offer sydd
ganddynt i nodweddu pobl ifanc y dyddiau hyn
e.e. ffôn symudol a ffonau clust.

Mewn gwrthgyferbyniad mae **Dyn** yn gwisgo côt
hir flêr ac esgidiau trymion. Ar ei ymddangosiad
cyntaf dylai edrych fel petai'n filwr gyda gwn a
kitbag ond yna wrth i'r golau godi gwelwn mai
ffon gasglu sbwriel sydd ganddo ac mai bag casglu
sbwriel yw'r bag ar ei gefn.

O ran rheolau iechyd a diogelwch, byddai'n syniad defnyddio poteli plastig wrth berfformio neu, os yw'r gyllideb yn caniatáu, gellir prynu poteli gwydr diogel (*sugar glass*).

LLWYFANNU

Bwriedir i'r ddrama gael ei llwyfannu'n syml gyda chyn lleied â phosib o bropiau.

Yn ddelfrydol, dymunir bod math o gofeb yn ganolog i'r llwyfan – y math y rhoddir torchau o babi coch ger ei bron ar Sul y Cofio – ac arni enwau milwyr a gollodd eu bywydau yn y rhyfel byd cyntaf a'r ail ryfel byd. Petai'n broblem cael cofeb sy'n edrych fel carreg gellid taflunio llun i fyny llwyfan.

O flaen y gofeb mae gardd goffa'r pentref ac ynddi ceir mainc i eistedd arni a bwrdd picnic. Dyma yw man ymgynnull pobl ifanc y pentref. Nid oes llawer o raen ar y lle ac nid yw'n cael llawer o barch gan y criw ifanc e.e. taflu sbwriel ar lawr, eistedd ar y bwrdd. Nid ydynt fel petaent yn ymwybodol o ystyr a phwrpas y lle, sef man i gofio'r rhai a aberthodd eu bywyd dros eu gwlad. Maent yn cymryd hyn a'r lle yn ganiataol.

Ger yr ardd mae siop gwerthu pob dim. Ni welir

mo'r siop hon ond cyfeirir ati yn ystod y ddrama.

Yn yr un modd ni welir car ar y llwyfan ond yn hytrach clywir sŵn car yn cyrraedd a gyrru i ffwrdd. Yn ddelfrydol dylai fod gan y car sŵn egsôst uchel.

Ni nodir pa gerddoriaeth y gellir ei defnyddio. Dewis y cyfarwyddydd fydd hyn.

O ran goleuo, dylid cofio bod y rhan fwyaf o'r ddrama yn digwydd gyda'r hwyr e.e. wrth iddi fachlud a dechrau tywyllu. Gellir chwarae ag effeithiau cysgodion, yn arbennig yn y golygfeydd gyda **Dyn** a defnyddio cylch o olau ar y gofeb ar adegau penodol o'r ddrama.

GOLYGFA 1

(Ar y llwyfan mae **Anna**, **Jo** *a* **Sam**. *Maent yn disgwyl am fachgen hŷn i ddod o'r siop gydag alcohol ar eu cyfer. Mae* **Anna** *yn dechrau mynd yn ddiamynedd wrth ddisgwyl)*

Anna: Lle *mae* hwn?

Jo: Mi ddaw.

Anna: Ond mae o'n hir iawn.

Sam: Siarad efo rhywun, ma siŵr.

Jo: Siarad? Efo pwy? Welist ti ddega o bobl yn mynd i mewn i'r siop, do?

Sam: Naddo... ond ella bod o'n siarad efo'r boi bia'r siop.

Jo: Ti'n meddwl y basa fo'n risgio hynny?

Sam: Be?

Jo: A'r boi'n dechra gofyn cwestiyna?

Sam: Fatha be?

Anna: Faint 'di oed o a ballu.

Jo: Mae o'n edrach yn un deg wyth ac mae o'n ddigon cŵl.

Sam: *(Yn bryfoclyd)* W, ffansïo fo, ia?

Jo: Cau hi. Mae o'n fwy cŵl na chdi, dydi. 'Sat ti byth yn mynd mewn i brynu *booze*.

Anna: Sh 'nei di, neu fydd rhywun yn dy glywed di.

Jo: O, be 'di'r ots?

Anna: Mae o ots i fi.

Sam: A fi.

Jo: Be, ofn eto, ia? Mae'n iawn i chi yfed dan oed ond dach chi'n ormod o gachwrs i fynd i'w nôl o 'fyd.

Sam: Ond dwi'n edrach yn ifanc, yn dydw? *Dead give away* i fi fynd i drio cal peth, basa!

Jo: Ofn dy gysgod. Ofn cal dy weld. Sam babi mam.

Sam: O, cau hi'r jolpan!

Jo: A be ydi dy esgus di 'ta?

Anna: Does dim raid i mi gael esgus. Ti'n gwbod yn iawn nad oes pwynt i mi drio. Tydi'r boi yn nabod Mam, dydi.

Sam: *(Yn naïf)* Ti'n meddwl y basa fo'n deud wrth dy fam?

Anna: Be ti'n feddwl?

Sam: *Too right* basa. A be fasa dy fam yn neud wedyn?

Anna: Mi fasa'n *upset*.

Sam: Go iawn? Chwerthin fasa Mam, a deud 'tha fi am beidio bod mor blydi wirion tro nesa.

Jo: A cic yn dy din, ma siŵr.

Sam: *(Dan chwerthin)* Ia, ma siŵr. Dyna

sy'n braf am gael bod y plentyn fenga. Dwi'n cael mwy o *get-away* efo bob dim. Blydi grêt.

Anna: Be? Ti'n galw cael cic yn dy din yn *get-away*?

Sam: Dydi hynna'n ddim byd, nac'di. Mae hi'n rhy brysur yn poeni am betha go iawn i boeni am y petha bach gwirion dwi'n neud. Mae hi'n gwbod mod i'n saff, dydi.

Jo: *(Ychydig yn sbeitlyd)* Ac am be mae mami Anna yn poeni amdanyn nhw?

Anna: Be ti'n feddwl?

Jo: Ydi hi'n poeni am betha go iawn? 'Ta ydi hi'n poeni mwy am faint o lwch sydd ar ei char mawr crand?

Anna: *(Gan deimlo braidd yn annifyr)* Jelys, Jo?

Jo: *(Yn ddi-hid)* Na, jyst busneslyd. Be ma hi'n neud pan mae hi'n *upset* efo chdi, felly? Ydi hi'r teip *manic depressive*

sy'n eistedd mewn cornel yn crio, ynte
fasa hi'n growndio chdi am wsnosa o
ran sbeit?

Sam: Nath Mam drio growndio fi mis d…

Jo: Cau hi. 'Dan ni ddim isio dy *life story*
di. Isio gwbod mwy am Anna dwi.
Sgen ti ofn dy fam, oes Anna?

Anna: Be mae hynna'n ei feddwl?

Jo: Dy fam di'n strict, dydi. Ti'n gorfod
bod adra erbyn naw yn dwyt…?

Sam: *(Yn ddiniwed)* Wyt ti'n gorfod bod
adra erbyn naw?

*(Saib. Nid yw **Anna** yn ymateb i'r pryfocio)*

Jo: Mam yn deud, yli.

Anna: Wel…

Jo: Pryd wyt ti'n mynd i stopio gwrando
arni? Dim hogan bach wyt ti rŵan.

Anna: Dwi'n gwybod hynny.

Sam: Ond pam rhuthro adra 'ta?

Anna: *(Yn ddiamynedd)* Dydw i ddim am ruthro adra, nac'dw. A dwi ddim isio gorfod esbonio i ti chwaith.

Jo: Www. Ma rhywun mewn hwylia drwg heno.

Anna: O'n i'n iawn cyn i chdi ddechra...

*(Cyn i **Jo** fynd ymlaen i herio fwy ar **Anna** mae **Sam** yn torri ar draws)*

Sam: Lle *mae* hwn?

Jo: Paid ti â dechra swnian. Mi ddaw...

Sam: Ond mae o'n hir, dydi.

Jo: Be 'di'r brys eniwe? Gynnon ni drwy nos.

Anna: Sgen i ddim.

Jo: *(Yn ymfalchïo)* Ond ma gen i.

Sam: Lle ti'n mynd 'ta, Anna?

*(**Anna** yn gyndyn o ateb ond y tro hwn nid oes raid iddi)*

Jo: *Mission accomplished.*

Anna: Be?

Jo: Mae o'n dŵad.

Sam: Bril!

*(Daw **Rob** i'r golwg efo llond bag plastig o gwrw a photeli alcohol amrywiol)*

Rob: 'Na chi, blantos...

Jo: *(Gan chwerthin)* Hei, *watch it*!

Sam: *(Yn sarcastig)* O, diolch!

Rob: Croeso, Sami bach. Croeso. Ond ma arna chi bres i mi.

Anna: Ond dylia fod 'na ddigon...

Rob: Digon am y *booze* ond ches i ddim bag gynnoch chi i'w dal nhw, naddo... gorfod talu *five p* am fag i'w cario nhw… ddim yn *impressed… (Gan chwerthin)*

Jo: Hei, gei di swig o 'mhotel i fel *compensation,* yli.

Rob: Dim diolch, Jo.

Jo: O, tyd o 'na. Ranna i efo chdi 'ta. Mi rannan ni i gyd efo chdi.

Sam: *(Yng nghanol llwnc)* Be?

*(**Jo** yn gwthio **Sam** yn chwareus gan beri iddo golli ychydig o'r ddiod)*

Sam: Hei, bwli! Be ti'n neud? Ti'n gneud i mi ddriblian.

Jo: *(Siarad yn blentynnaidd)* Sami babi mami.

*(**Sam** a **Jo** yn tynnu ar ei gilydd)*

Rob: Reit, blantos. Dwi ddim yn aros.

Jo: *Hold on,* lle ti'n mynd?

Rob: At bobl sy'n actio'u hoed.

Jo: *(Yn stopio'n sydyn)* Pwy?

Rob: O, 'sa ti ddim yn eu nabod nhw.

Sam: Mae Jo'n nabod pawb.

Rob: *(Yn nawddoglyd)* Mae Jo yn nabod pawb sy'n dod i chwarae ati hi i fan'ma. Plant bach eraill yr un oed â hi.

Jo: Doniol iawn.

Rob: Oi, ti ddim am bwdu rŵan nag wyt, gorjys? A finna di risgio fy enw da i nôl neges i chi o'r siop.

Sam: *(Yn chwerthin)* Pa enw da?

*(**Rob** hefyd yn chwerthin ond yna'i wyneb yn troi'n ddifrifol)*

Sam: *(Yn dangos ei hun)* Ia, Rob. Enw da ar rob-yr. Rob y robyr. Ew, doniol iawn.

Rob: Ia, doniol iawn, Sami sws. *(Yn gafael*

yn ei wyneb a rhoi sws wlyb ar ei foch /
talcen)

Sam: Hei, be ti'n neud? Dos o 'ma! *(Gan*
ryddhau ei hun)

Rob: Dyna dwi'n bwriadu neud, *lover boy*,
ond dach chi blantos yn fy nghadw i
fan'ma'n chwarae.

Jo: Paid â gwrando arno fo'n malu.
Arhosa efo ni i gael hwyl. Ti byth yn
treulio amser efo ni ddim mwy.

Rob: Gen i betha gwell i wneud efo'n
amser, does. Dwi ddim yn meindio'ch
helpu chi bob hyn a hyn ond *come*
on… dydi mynd ar *mission* i gal cwrw
ac eistedd fan'ma wedyn yn rhewi'n
balls ddim yn ecseiting iawn nac'di.

Jo: Be sy'n ecseiting 'ta? *(Gan ddechrau*
fflyrtio efo fo) Ti isho fi dy gnesu di?

(**Rob** *yn dechrau chwerthin o weld mor amlwg yw*
fflyrtio **Jo**)

Jo: Wyt ti am ddeutha fi 'ta fasa well gen ti ddangos i mi?

*(Wrth i'r uchod fynd ymlaen, mae **Anna**'n eistedd yn dawel yn yfed ar ei phen ei hun)*

(Sŵn car swnllyd yn refio)

Rob: Wel hen dro, blantos. Gorfod mynd. Mae'r *chauffeur* 'di cyrraedd. Hei, Anna, ti am ddod efo fi?

Anna: (*Yn codi ei sylw oddi wrth y botel gan edrych yn syn*) Fi?

Jo: Hi?

Rob: Wel, ti am ddod ta be?

Anna: Na dim diolch.

*(**Rob** yn chwerthin am ben ei chwrteisi)*

Jo: Mi ddo' i...

Rob: Wela i di o gwmpas, Jo.

*(**Jo** yn amlwg yn siomedig. Sŵn y car yn gyrru oddi yno yn swnllyd. **Jo** yn troi'n flin tuag at **Anna**)*

Jo: Wel, ti am esbonio 'ta?

Anna: Esbonio be?

Jo: Pam wnaeth Rob ofyn i chdi fynd efo fo?

Anna: Dwi ddim yn gwybod, nac'dw. 'Myrraeth, ma siŵr. Gwybod y basa fo'n weindio chdi i fyny.

Sam: Ma hynna'n wir. A mi wnaeth hefyd, yn do. *(Gan chwerthin)*

Jo: Wyt ti 'di bod yn snwyro o'i gwmpas o tu ôl i 'nghefn i?

*(Mae **Anna** yn ceisio'i hanwybyddu i ddechrau)*

Jo: Wel? Ateb fi.

Anna: A pryd 'swn i'n cael y cyfla i neud hynny, Jo? Dwi byth yn ei weld o.

Jo: Dwi'm yn gwybod. Snam raid i ti'i

weld o, nag oes. Fedri di BBMio fo neu MSN?

Sam: Neu Facebook?

(Mae'r ddwy yn troi at **Sam** *yn flin)*

Anna: *(Yn gwawdio, yn amlwg wedi cael hyder o yfed yr alcohol)* Neu beth am y ffordd hen ffasiwn, ia Jo – gyrru llythyr caru neu godi ffôn?

Jo: *(Yn syn)* Be? Be wyt ti'n falu?

Anna: Chdi sy'n malu. Siarad drwy dy het. Sgynno fo ddim diddordeb yn'a i nac yndda chditha chwaith.

Sam: Na... fi oedd yr un gafodd sws gynno fo. Hei! Ella bod o'n *gay*.

Jo: Callia!

Sam: Na, ella bod y cradur yn trio deud rhywbeth wrtha fi. Profi'r dŵr 'lly. I weld sut faswn i'n ymateb.

Jo: Bron i ti gachu'n dy drowsus.

Sam: *(Yn trio amddiffyn ei hun)* Jyst am ei fod o wedi dod fel sioc. *(Yn gorddramateiddio a mynd i hwyl)* Dim bob dydd dwi'n gweld dyn caled fel Rob yn dangos ei deimlada. Ella bod o isio siarad am y ffordd mae o'n teimlo tuag ata i.

Anna: Isio mynd o 'ma oedd o.

Sam: Ella bod o'n cwffio'i deimlada ac yn teimlo bod raid iddo fynd am ei bod hi'n ormod o demtasiwn iddo fo aros yn fy nghwmni mor hir.

Jo: Mae'r pop wedi mynd i dy ben di'n syth, dydi. Y wimp!

Sam: Na, seriys rŵan. Mae hi lot anoddach i hogia nag i genod. Meddyliwch am yr ysgol. Mi welwch chi genod yn dal dwylo o gwmpas yr ysgol a does neb yn deud dim byd wrthyn nhw. Ond 'sa hogia yn gneud yr un peth, 'sa nhw'n cael *hell*.

Anna: Dim gan bawb. A mae'n haws rŵan efo'r *soaps* yn dangos *gays* yn cusanu a ballu.

Sam: Ond mae'r rhan fwya o'r *soaps* yn digwydd mewn trefi mawr.

Jo: Ia, sut fedri di gymharu dinas fawr fel Llundain efo'r twll lle 'ma?

Anna: Wel, os 'di'n iawn i fod yn *gay* yn *Eastenders* mi ddylia fod yn iawn yng nghefn gwlad Cymru.

Jo: *As if*… Pa fyd ti'n byw yn'o fo? Ti'n gweld pobl ffor' hyn yn derbyn dau ddyn yn snogio tu allan i'r siop?

Sam: 'Sa'n ddoniol basa!

Anna: Pam fasa fo? Dydi o ddim byd newydd nac'di. Ma pobl hoyw wastad 'di bodoli.

Jo: Ddim yn y pentre yma?!

Anna: Oes.

Jo: *No way!*

Anna: Oes. Dwi'n cofio Nain yn deud am
            y ddau oedd yn byw drws nesa i'r
            garej...

Sam: *(Gan dorri ar draws)* O ia, dwi'n
            gwybod... a sbia be ddigwyddodd
            iddyn nhw. Eu howndio allan o'r
            pentre. *Never to be seen again.*

Anna: Bechod.

Jo: Cachwrs! Pam na fasa nhw'n aros 'ma
            i gwffio?

Anna: Mi drodd y pentref yn eu herbyn nhw.
            Un noson mi glywodd Nain sŵn yng
            nghanol nos a mi gododd i ffenest ei
            llofft a gweld criw yn cerdded lawr y
            pentre yn cario rhawiau a ffyn a phob
            matha o betha. Mi oeddan nhw am eu
            lladd nhw.

Sam: O, ecseiting. Fatha'r ffilm *Terminator.*

Jo: Ond fasa nhw ddim 'di'u lladd nhw go
            iawn, na f'san? Eu dychryn nhw ella.

Ma pobl ffor' hyn yn ormod o gachwrs i neud dim mwy.

Sam: *Hasta la vista, baby! (Yn actio a chwerthin am ei jôc ei hun – cogio saethu'r ddwy)* Come on, saethwch fi 'nôl!

*(**Anna**'n llonydd iawn. **Jo** yn ymuno yn yr hwyl ac yn ei saethu 'nôl. **Sam** yn gwneud sioe fawr o syrthio ar y llawr a gweiddi mewn poen. **Jo** yn chwerthin yn falch)*

Jo: Dyna be ti'n gael, *gay-boy*.

*(**Anna**'n syllu arni hi)*

Jo: Be *ti'n* sbio?

(Saib byr)

Anna: Fasa ti'n medru lladd rhywun?

Sam: *(I dorri ar y tensiwn)* Mae hi newydd neud! *(Ailddechrau rowlio ar y llawr)*

Anna: *(Ychydig yn uwch)* Fasa ti?

Jo: *(Gan ddangos ei hun)* Ma siŵr, os fasa raid i mi.

Sam: *Reloading! Reloading! (Yn cymryd llymaid go dda o'i botel ac yna ailddechrau cogio saethu'r ddwy)*

*(**Jo** yn ymuno yn y miri. Neidio ar ben y bwrdd picnic gan weiddi ar **Sam**)*

Jo: *Watch and learn,* Sami bach. *Watch and learn. (Gan orffen yfed o'r botel ar ei phen)*

*(**Sam** yn chwerthin ac yn esgus saethu **Jo** eto. **Jo** yn defnyddio'i photel wag fel gwn. **Sam** yn ymateb gan neidio o gwmpas y lle yn wirion. **Jo** yn neidio oddi ar y bwrdd fel petai'n gwneud cri ryfel. **Anna** yn gorffen ei photel ddiod. Codi'n araf. Taflu'r botel wag i'r gwair. Cerdda'n araf oddi yno gan gymryd cipolwg ar y ddau arall yn chwarae)*

(Golau'n pylu'n araf ar y prif lwyfan gan adael golau ar y gofeb am ychydig eiliadau'n hwy. Yna düwch llwyr)

GOLYGFA 2

(Yr un yw'r lleoliad. Mae cylch o olau yn codi ar y gofeb gan greu cysgod dros yr ardd goffa. Yn y golau gwelwn y llanast a adawyd ar ôl gan y criw pobl ifanc – yn duniau a photeli diod a sbwriel cyffredinol.

Yn araf deg, o du ôl i'r gofeb, daw ffigwr i'r amlwg yn gwisgo côt hir. Am ychydig eiliadau saif **Dyn** *yno'n llonydd gan edrych ar y llanast. Mewn un llaw mae'n dal ffon. Ar ei gefn mae'n cario bag. Ar yr olwg gyntaf dylai edrych fel petai'n filwr gyda gwn a* kitbag *ond yna wrth i'r golau godi gwelwn mai ffon gasglu sbwriel a bag casglu sbwriel sydd ganddo. Y mae ei gôt yn hir ac yn fler.*

Yn ddigalon â ati i gychwyn casglu'r sbwriel. Nid yw'n yngan gair wrth wneud. Yn sydyn clywir sŵn car yn refio a sŵn chwerthin aflafar pobl ifanc. Mae **Dyn** *yn ceisio anwybyddu'r sŵn.*

Yn ddirybudd gwelir can gwag yn cael ei daflu ar y llwyfan. Dychryna **Dyn** *gan wardio i ben arall yr ardd)*

Llais o'r car: *Loser!*

*(Mae'r car yn gyrru ffwrdd yn swnllyd. Daw **Dyn** ato'i hun gan ailddechrau clirio'r ardd. Cyn gadael y llwyfan mae'n troi at y gofeb ac yn darllen yr enwau sydd arni'n dawel)*

Dyn: Huw Jones, William Pritchard, Thomas Evans, John Williams, Evan Hughes...

(Ysgydwa'i ben yn drist. Pyla'r golau'n raddol)

GOLYGFA 3

(Ychydig wythnosau'n ddiweddarach. Yr un lleoliad. Gwelir **Jo** *yn eistedd ar ei phen ei hun ar y bwrdd picnic yn gyrru a derbyn negeseuon testun)*

Jo: *(Cael ateb)* Ies!

(Daw **Sam** *i mewn)*

Sam: Ti'n hapus.

Jo: Ydw, diolch!

Sam: Ti am ddeutha fi pam?

Jo: Meindia dy fusnas, Sami bach. 'Runig beth dduda i ydi bod petha'n mynd *according to plan.*

Sam: O, da iawn. *Mission* amdani heno felly, ia?

Jo: Pwy sy gen ti i nôl y *booze* 'ta?

Sam: Fi? Sgen i neb. Chdi sy fel arfer yn trefnu.

Jo: Ia a dwi'n dechra cael llond bol o
        edrach ar ôl *kiddies* bach fatha chdi.
        Dwi'n gweld 'ŵan pam gafodd Rob
        lond bol efo ni.

Sam: Chafodd o ddim llond bol. Jyst lecio
        dangos ei hun yng nghar ei fêt mae
        o. A *creep* 'di hwnnw 'fyd. Yn dreifio
        fatha *maniac* o gwmpas lle efo'r
        egsôst yn dychryn pawb call.

Jo: Mae o'n cŵl.

Sam: Mae gynno fo hanes.

Jo: O, be rŵan eto? Pa hanes? Ti'n
        swnio'n debycach i Harri Hanes bob
        dydd. *(Yn dynwared yr athro Hanes)*
        Ffynhonell A – disgrifiad o gar coch
        1979, ffynhonell B – disgrifiad o bobl
        sy'n gyrru'r math yma o geir… bla bla
        bla!

Sam: Ew, ti'n dda. Ti'n debyg iddo fo.

*(**Jo** yn ei daro'n ysgafn ar draws ei ben)*

Sam: Aw! 'Di athrawon ddim i fod i daro disgyblion!

Jo: Byhafia 'ta!

(Saib)

Sam: O'n i'n lecio Hanes.

Jo: Oeddat ti? Blydi *boring* o'n i'n 'i weld o.

Sam: Dwi'n difaru na faswn i 'di'i ddewis o i TGAU.

Jo: *Get a life*!

Sam: Na, go iawn. O'n i'n lecio pan oedd o'n sôn am y rhyfel a ballu.

Jo: *Bo-ring*! Yr unig amser oedd hanes yn ddiddorol oedd pan oedd Siân Goch yn tynnu ei sylw fo at betha eraill. Dwi meddwl bod hi efo dipyn o *crush* arno fo. *Sad*. Mi fydda hi'n cynnig helpu Harri bob cyfle gâi hi. (*Yn dynwared Siân*) "Dach isio fi rannu rheina i chi, syr? Fasa chi'n lecio i mi rannu'r papur? Sut mae'ch ci chi, syr? 'Di goes ôl chwith o 'di mendio?"*(Yn dynwared Harri Hanes, yr athro)* "Na, ei goes flaen dde fo oedd wedi brifo, mechan i."

(Yn dynwared Siân) "Ew, syr, dach chi'n siŵr? Dwi siŵr mai fel arall ddudoch chi wrthan ni tro o'r blaen."
(Yn dynwared Harri Hanes, yr athro) "Taw – ti'n meddwl?"
(Yn dynwared Siân) "O, sut mae o beth bynnag, syr?"
(Yn dynwared Harri Hanes, yr athro) "Wel…"
(Yn dynwared Siân) "Oedd raid iddo fo gael antibiotics? Faint ydi pris *vet* dyddia 'ma?"
(Yn ôl i'w llais ei hun) Ac *on* ac *on*. Mi oedd o'n well na gwers go iawn.

Sam: O'n i isio bod yn *vet* pan o'n i'n hogyn bach ond welish i lun ar teli o *vet* yn rhoi ei fraich i mewn i din buwch a mi oedd hynny'n ddigon. Cathod a chŵn, iawn, ond dim blydi buchod!

Jo: Be?! Ti 'di rhoi dy fys fyny tin cath? Sglyfath!

Sam: Naddo siŵr!

*(Mae **Jo** yn cythru i'w law ac yn ceisio'i harogli er mwyn ei bryfocio)*

Jo: Tyrd â dy law yma i mi glywed yr ogla.

Sam: Dos o 'ma!

Jo: Paid â bod ofn, citi citi.

*(**Sam** yn ceisio ymryddhau ond mae **Jo**'n gryfach nag o. Hithau'n dal yn dynn ynddo ac, er mwyn ei bryfocio, yn rhoi ei fys yn ei cheg ei hun)*

Sam: Y! Sglyfath. Gad fynd, y jolpan.

Jo: Be? Ti ddim yn lecio hynna?

Sam: Dim efo chdi!

Jo: Be ti'n feddwl? *(Yn parhau ei bryfocio – ffugio ei bod wedi cael ei brifo)* Be? Ti ddim yn lecio fi? Ti'n trio deud nad wyt ti'n ffansïo fi?

Sam: Ffansïo?

Jo: O, cym on, dwi'n gwbod bod chdi. Tyd i gael snog.

Sam: Ti'm yn gall. Ych a fi, 'sa fo fatha cusanu'n chwaer!

Anna: Sgen ti ddim chwaer.

*(Mae **Anna** wedi ymddangos yn dawel heb yn wybod iddynt ac wedi bod yn gwylio'r chwarae gwirion. Mae'r ddau yn cael braw o'i gweld)*

Sam: A faswn i ddim isio chwaer fatha hon, chwaith. 'Di hi'm yn gall.

Jo: Faswn i ddim isio bod yn chwaer i chdi, chwaith.

Anna: Cariad ella?

Jo: Cau hi! Chwara oeddan ni. Ti'n gwbod hynny.

*(**Anna** yn edrych arni'n awgrymog)*

Jo: Ti'n gwbod bod well gen i hogia hŷn. Dynion go iawn.

Sam: Fatha'r *creep* 'na yn y car coch.

Jo: Dwi'n warnio chdi. 'Di o ddim yn *creep*. *(Mynd am Sam eto)*

Anna: Pwy? Rob 'ta Lee?

Jo: 'Run o'r ddau. 'Swn i'm yn meindio 'run ohonyn nhw. Dwi bron yn *sixteen* 'ŵan felly ella ga i'r ddau ohonyn nhw.

Sam: *Slag!*

Jo: Cau hi, *gay-boy*! Neu mi snogia i chdi!

Anna: *(Yn dawel)* Aeddfed iawn, blantos.

(Ar hyn clywir sŵn y car yn refio ac ar yr un pryd daw neges ar ffôn **Anna***.* **Rob** *yn ymddangos gyda bag a photel fawr blastig o seidr)*

Jo: Haia! *Glad you could make it.*

Rob: Diolch, gorjys. *(Yn mynd ati hi gan basio'r bag iddi a dweud dan ei wynt)* Cadwa nhw'n saff ocê. *(Rhoi sws ysgafn ar ei boch)*

Sam: Hei, be sy'n y bag?

Rob: Meindia dy fusnas, Sami bach. *(Yna troi oddi yno)*

Jo: Hei, lle ti'n mynd?

Rob: *Things to do. People to see.* Ti'n dŵad, Anna?

*(**Anna**'n edrych ychydig yn euog ond yna'n cychwyn oddi yna efo fo)*

Jo: Hei, be sy'n mynd ymlaen? Lle ti'n meddwl ti'n mynd? Doedd hyn ddim yn y *plan*.

Rob: *Plan*?

Jo: Dach chi 'di bod yn planio hyn tu ôl i 'nghefn i?

Anna: Am be ti'n sôn, Jo?

Jo: O'n i'n meddwl 'mod *i'n* cael dod am sbin heddiw.

Rob: Dy job di ydi gwatsiad ar ôl rhain. Cadwa nhw'n saff.

Jo: Ond…

Sam: Ga i ddod?

Rob: Does 'na'm lle yn y car, sori.

Jo: Ond wnest ti addo i fi.

Rob: Gaddo be? Ti'n gwatsiad gormod o *romantic movies,* Jo bach. Hei, hwda, dyma chdi *consolation prize,* yli, ac am helpu fi. *(Mae'n taflu potel blastig seidr ati hi)*

*(**Sam** yn neidio i'w dal)*

Jo: Tyrd â honna i fi'r moron.

Sam: Rhannu, ia?

Rob: Ia Jo, gei di rannu hi efo dy *toy-boy,* yli.

*(Clywir **Anna** a **Rob** yn chwerthin wrth fynd am y car. **Jo** yn cythru i'r botel ac yn ei llowcio'n awchus)*

Sam: Gad peth i fi!

*(**Jo** yn dal gafael yn dynn yn y botel wrth glywed sŵn y car yn gyrru i ffwrdd yn wyllt)*

Jo: Mi ladda i hi.

*(Golau'n pylu ar wyneb blin **Jo** ac yna i ddüwch llwyr)*

GOLYGFA 4

(Yn ddiweddarach yr un diwrnod. Mae hi wedi dechrau tywyllu. Mae cylch o olau yn goleuo'r gofeb.

*Daw **Dyn** i'r golwg o'r tu ôl i'r gofeb. Mae ei symudiadau yn araf a phwyllog. Wrth godi ychydig o'r sbwriel a thacluso ychydig o hen wair o gwmpas y gofeb mae'n darganfod y bag a roddodd **Rob** i **Jo**. Clywir sŵn rhywun yn dod. Mae'n ailguddio'r bag ac fe â i guddio y tu ôl i'r gofeb. O'r cysgodion gwelwn **Anna**.*

Wrth iddi nesáu mae hi'n edrych o'i chwmpas yn ofalus. Mae'n rhyddhad iddi nad oes unrhyw un yno. Â ati i chwilio am y bag. Edrycha'n bryderus wrth beidio â'i ddarganfod yn syth, yna'n flin wrth feddwl efallai bod rhywun wedi ei symud, ond yna wrth ei ddarganfod chwardda iddi hi ei hun.

*Clywir sŵn o'r tu ôl i'r gofeb. Dychryna **Anna***)

Anna: Pwy sy 'na?

*(Daw **Dyn** i'r golwg ond nid yw'n dweud dim)*

Anna: Pwy ydych chi?

Dyn: Mae hi wedi pasio naw o'r gloch, Anna.

Anna: Sut ydych chi'n gwybod f'enw i? Pwy ydych chi?

Dyn: Fasa hi ddim yn well iti fynd adra rŵan, Anna?

Anna: Pwy ydych chi?

Dyn: Mae dy fam yn poeni.

Anna: Dach chi'n nabod Mam?

Dyn: Nabod pawb. Dos adra rŵan, Anna.

Anna: Peidiwch poeni. Dwi'n mynd. Mae'r lle 'ma'n rhoi spŵcs i mi, eniwe. 'Na i jyst gal y... *(Yn estyn am y bag cyffuriau)*

Dyn: Heb y bag, ia Anna? Ti ddim isio creu trwbwl nag oes...

Anna: Ond...

Dyn: Dwi'n gwybod be sy'n y bag 'sdi, Anna...

Anna: Ond dim fi pia nhw…

Dyn: Sgen ti ddim hawl i'w cymryd nhw felly, nag oes, Anna.

Anna: Dwi ddim yn cymryd nhw. Jyst eu symud nhw i rywle saff.

Dyn: Jyst gad nhw fan'na. Wna i'u cadw nhw'n saff. Rŵan, dos.

Anna: Ond…

Dyn: Dim ond, Anna. Dos, 'snag wyt tisho fi dy ddanfon di adra a deud bob dim wrth Mam.

*(Mae **Anna** yn gadael gan rhyw hanner baglu mewn ofn a gan adael y bag ar y llawr.*

*Mae **Dyn** yn gafael yn y bag gan ddechrau chwerthin yn drist iddo fo'i hun. Golau'n pylu i ddüwch)*

GOLYGFA 5

(Drannoeth. **Sam** *yn eistedd ar ei ben ei hun ar y bwrdd picnic yn gyrru a derbyn negeseuon testun. Wrth ei ymyl ceir bag gwyn – tebyg iawn i'r un cyffuriau o'r olygfa flaenorol. Mae'n darllen ei negeseuon yn uchel ac yn bwyllog)*

Sam: Le w t? Gen i syrpréis! *(Yn darllen neges* **Jo***)* R 4. *(Yna'n darllen ei ateb ei hun yn uchel)* Cym on, brysia.

(Ar hynny daw **Jo** *ar y llwyfan a'i gwynt yn ei dwrn)*

Jo: Be 'di'r brys, 'lly?

Sam: Syrpréis!

Jo: Be 'di o?

Sam: Yli be sgen i. *(Yn dangos y bag yn gyffrous)* Be ti ffansi? Seidr? Fodca? 'Ta… *wait for it…* Martini!

Jo: Sut wyt ti 'di cael rheina?

(Daw **Anna** *i'r golwg)*

Sam: Hei, Anna! Ti jyst mewn pryd i gal clywed fy hanes i.

Anna: *(Ceisio bod yn frwdfrydig)* O wow, be?

Sam: Yli be dwi di gal? *(Gan ddechrau dangos y poteli)*

Anna: Sut? Y boi blin 'na sy'n gweithio yn y siop heddiw. Dwi newydd fod 'no.

Sam: Ddim o fanno ges i nhw. Roedd rhein yn *hand delivered* a dach chi'n gwbod gan bwy?

Anna a **Jo:** Pwy?

Sam: Ian, 'y mrawd. *(Yn gyffrous)* Mae o adra o'r armi. 'Di cal *leave* tair wsnos. Mae Mam yn *made up*. Crio a bob dim. Bril, 'de?

Jo: Grêt. Lle mae o 'ŵan 'ta?

Sam: 'Di mynd i weld ei fêts. Mae'r ddau ohonan ni 'di cal *warning* gan Mam i fod adra cyn iddi dywyllu er mwyn cal sgram go iawn.

Anna: O'n i'n meddwl mai fo odd o…

Sam: Be? Welist ti o?

Anna: Do, neithiwr…

Sam: Na, *no way*. Pnawn 'ma odd ei drên o'n cyrraedd stesion.

(**Anna** *yn edrych yn syn ar* **Sam**)

Anna: Ond…

(*Ond cyn iddi fedru gorffen, daw* **Rob** *i'r golwg*)

Rob: Hei, blantos! Be dach chi'n chwara heddiw?

Sam: 'Dan ni'n dathlu.

Rob: Be? Parti?

Sam: Ella. Mae Ian adra o'r armi.

Rob: Ian? Dy frawd? Boi da, Ian.

Sam: (*Yn bryfoclyd*) Biti 'sa fo'n deud 'run peth amdanat ti, 'de Rob!

Rob: Ha ha, *gay-boy*. Na, yn wahanol i chdi, wimp, ma gan dy frawd gyts. Ma raid bod gynno fo, i fynd i ladd y bobl 'na i gyd.

Sam: (*Yn ddiniwed*) Dwi ddim yn meddwl ei fod o wedi lladd neb.

Rob: Iesu! Ti'n ddiniwed weithia. Pam arall ath o i'r armi'n lle cynta?

Sam: I weld y byd. I drio helpu pobl eraill.

Rob: Crap! Ti'n coelio hynny, wyt? Pam na ei di, 'lly?

Sam: Ella'r a' i. Dwi ddim yn gwbod be dwi isho neud eto. Dibynnu be 'na i yn yr *exams*.

(**Rob** *yn chwerthin am ei ben*)

Rob: Ti ddim angen brêns i fynd yn sowldiwr, 'sti!

Sam: Pam na ei di'n un 'ta?

(**Jo** *yn dechrau chwerthin*)

Rob: Am be ti'n chwerthin, *slag*?

Jo: Hei, paid dechra arna fi. Dwi ddim 'di gneud dim yn rong.

Rob: O naddo? Gawn ni weld am hynny 'ŵan. *(Dechrau chwilio o gwmpas yr ardd)* Lle mae o?

Jo: Lle ma be?

Rob: Ti'n gwbod yn iawn. Paid â chwara gêms efo fi.

*(**Rob** yn mynd at y bag gwyn oedd gan **Sam** ar y bwrdd picnic)*

Sam: Hei, fi pia hwnna! *(Ceisio estyn amdano)*

Rob: Hei, stedi on! Pwy sy'n deud?

Sam: Fi? Ian gafon nhw i fi.

Rob: O, handi, 'de. Fel ddudis i gynna, boi da 'di Ian.

Sam: Be ti'n feddwl?

Rob: Helpu pawb, 'de. Fydd o yma i helpu'i frawd bach pan fydd o'n cael stîd gen i? *(Yn mynd tuag ato'n fygythiol.* **Sam** *yn dal gafael yn y bag)*

Rob: Tyd â'r bag i fi.

Sam: Na, fi pia rhain. *(Yn baglu ac yn syrthio ar ei gefn)*

Rob: Ti'n meddwl? *(Yn fygythiol uwch ei ben fel petai am ei ddyrnu)*

Jo: Mae o'n deud y gwir. *(Yn rhuthro at y bag ac yn dangos ei gynnwys)* Sbia. Fodca, seidar, Martini. Dim dy fag di 'di o.

*(***Rob*** yn rhoi cic i* **Sam** *tra'i fod ar lawr ac yna'n rhoi gwên ffals)*

Rob: Ond lle mae 'mag i 'ta?

Jo: Yn lle guddis i o, ma siŵr.

Rob: *(Yn ddiamynedd)* A lle ma fan'no?

Jo: *(Gan bwyntio i gyfeiriad gwaelod y gofeb)* Fan'na.

Rob: O, dos i nôl o i fi 'ta…!

Jo: Hy, ar ôl y ffordd i ti 'nhrin i, dwi'm yn gwybod pam y dyliwn i.

Rob: *(Yn nesáu at **Jo** gan geisio codi ofn arni hi)* Am bod chdi'n ffansïo fi'n racs yndê… ac wedi gneud ers misoedd. A ti methu disgwl i ddod i gefn y car coch efo fi. Ti'n gagio amdana i…

Jo: *In your dreams,* hogyn del. Ti 'di piso ar dy tships efo fi. Dwi ddim isio *seconds* ar ôl honna. *(Gan gyfeirio at **Anna**)*

Rob: Glywist ti be ddudodd hi, Anna?

Anna: 'Di o'm ots nac'di.

Rob: Na ti'n iawn, Anna fach… dydi o'm ots. 'Dan ni 'di cael hwyl, do?

*(**Anna** ddim yn ymateb)*

Rob: Yndô?

*(**Anna** yn troi oddi wrtho)*

Rob: Ww, ma'r snob yn snob heno.

Sam: Gad lonydd iddi, Rob.

Rob: *(Yn wawdlyd)* Ew, pwy ddudodd
hynna 'ŵan? Y wimp 'ta'r *gay-boy*?

Jo: *(Yn amddiffynnol)* Ti'n gwbod be?
Dwi'n dechra cael llond bol arna chdi.

Rob: Taw! Wyt? A be ti am neud am y
peth?

Jo: Dwi isho i chdi fynd o 'ma a gadael
llonydd i ni.

Rob: Be? Gadael llonydd i chi chwara, ia?
A be wnewch chi hebdda i?

Jo: 'Dan ni'n medru gneud yn iawn
hebddat ti.

Rob: Am ryw hyd…*(Yn araf)* Fyddi *di* ddim
yn iawn, na fyddi Anna?

*(Mae **Anna** yn ceisio'i gorau i'w anwybyddu. Yn dal ei phen yn isel. Mae **Jo** a **Sam** yn synhwyro bod rhywbeth o'i le arni hi. Mae **Rob** yn dechrau chwerthin yn sbeitlyd)*

Rob: Cyn i mi fynd, mae un gêm arall i'w chwara, 'nd oes?

Jo: Be?

Rob: Wel, chdi ddylia w'bod. Chdi guddiodd o… Ffeindia fo!

*(Mae **Jo** yn troi'n frysiog tuag at waelod y gofeb i geisio darganfod y bag cyffuriau. Chwilia'n wyllt drwy'r sbwriel a'r gwair ond does dim golwg ohono)*

Rob: Brysia. Sgen i'm drwy'r dydd!

Jo: 'Di o ddim yma.

Rob: Paid â malu cachu. Dial wyt ti'r bitsh! *(Gafaela yn ei gwallt yn sydyn gan ei thynnu 'nôl ar ei chefn)*

Jo: Na wir, dydi o ddim yma.

Rob: Dial wyt ti, am nad wyt ti'n cal ffor' dy hun.

Jo: Yn fan'ma nes i adael o. Paid! Ti'n 'y mrifo i...

Sam: *(Yn amlwg wedi dychryn)* Gad lonydd iddi.

Rob: Be?

Sam: Stopia. Ti'n 'i brifo hi.

Rob: *(Yn ei ddynwared yn sbeitlyd)* Stopia. Ti'n 'i brifo hi!... A be 'nei di, 'lly?

Sam: *(Yn ansicr)* Mmm... A' i i nôl Ian. Mi neith o sortio chdi.

Jo: Paid â mynd, Sam! Arhosa.

Rob: *(Gan chwerthin yn sbeitlyd)* Be? Dwyt ti ddim yn ddigon o foi i sortio fi dy hun, Sami? Dos i nôl y sowldiwr 'ta. God, dwi ofn!

*(**Sam** yn rhedeg oddi yno'n ofnus)*

Rob: *(Yn dychwelyd i sefyll yn fygythiol uwchben* **Jo***)* Ma angen dysgu gwers i ti, does.

Jo: *(Yn dechrau crio gan ofn)* Plis, paid â 'mrifo fi. Dwi'm 'di gneud dim byd. Plis coelia fi. Anna! Helpa fi!

Rob: Anna. Tyd, y bitsh wirion. Gwna rwbath.

Jo: Anna! Pliiis!

(Yn sydyn ac yn ddirybudd, mae **Anna** *yn codi ar ei thraed ac yn gafael mewn potel wydr)*

Anna: Gad lonydd iddi, Rob.

(Mae'n codi'r botel uwchben Rob *a phan mae ar fin ei daro ar ei benglog gyda'r botel ceir düwch llwyr a chlywir sgrech annaearol)*

GOLYGFA 6

(Ychydig eiliadau yn ddiweddarach, cyfyd y golau a gwelir **Rob** *yn gorwedd yn ddiymadferth a gwaed dros ei ben. Mae* **Jo** *wedi llwyddo i ddianc. Yn syfrdan saif* **Anna**. *O'r tu ôl i'r gofeb daw* **Dyn**. *Yn ei law mae'r pecyn cyffuriau)*

Anna: Chi eto? Pwy ydach chi?

Dyn: Dos adra, Anna.

Anna: Ond, ylwch be dwi 'di neud…

Dyn: Ti'm 'di gneud dim, Anna. Dos adra'n saff.

Anna: Ond be amdano *fo*?

Dyn: Fo? *Loser* 'di o.

Anna: Ond…

Dyn: Mi fyddi di'n iawn. *(Saib)* Rŵan, dos.

(Mae **Anna** *yn gadael y llwyfan yn frysiog. Mae'r golau ar y prif lwyfan yn pylu'n araf ond cyfyd cylch o olau coch ar y gofeb sy'n taflu digon o olau*

i ddangos beth sy'n digwydd nesaf. Mae **Dyn** *yn gwagio cynnwys y bag cyffuriau dros gorff* **Rob***. Gafaela mewn torch o babi coch oddi ar waelod y gofeb a'i thynnu'n ddarnau a'u taflu ar hyd a lled yr ardd. Dechreua grio'n dawel a thry at y gofeb gan ddarllen rhai o enwau'r milwyr sydd arni)*

Dyn: Huw Jones, William Pritchard, Thomas Evans, John Williams, Evan Hughes, Robert Price…

(Ysgwyda'i ben yn drist)

Dyn: Gwastraff…

(Cerdda'n araf i gyfeiriad y gofeb. Try at y gynulleidfa. Mae'n cau botymau ei gôt hir ac yn sefyll yn syth fel milwr gan roi salíwt. Yn y mwrllwch gafaela mewn ffon a bag a dylai'r llun olaf ohono ymdebygu i'r un cyntaf a welsom ohono fel milwr gyda gwn a kitbag *ar ei gefn cyn iddo ddiflannu o'r golwg y tu ôl i'r gofeb)*

(Pyla'r golau coch yn raddol i lwyr ddüwch)

Y DIWEDD

Hefyd yn yr un gyfres:

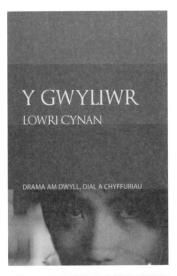

£2.95 yr un

Hefyd o'r Lolfa:

dramâu'r drain
£2.95 yr un

yr ysbryd

CARYL LEWIS

dramâu'r drain

GWYNETH GLYN

dramâu'r drain

deryn mewn llaw

CARYL LEWIS

arkies

dramâu'r drain

Cyfres y Dderwen

Nofelau gafaelgar i bobol ifanc gan rai o awduron gorau Cymru

£5.95 yr un

«gwae hi o'i THynGeD
fJ Hen, eienì y'i GaneD»

Annwyl Smotyn Bach

nofel gan
Lleucu Roberts

Sara Ashton

MaRi WYN

Y DOWY LISA
CYSGOD YR HEBOG

Gareth F. Williams

Y DOWY LISA
SGRECH Y DYLLUAN

Gareth F. Williams

Am restr gyflawn o lyfrau'r Lolfa, mynnwch
gopi am ddim o'n catalog
neu hwyliwch i mewn i'n gwefan

www.ylolfa.com

lle gallwch archebu llyfrau ar-lein.

TALYBONT CEREDIGION CYMRU SY24 5HE
ebost ylolfa@ylolfa.com
gwefan www.ylolfa.com
ffôn 01970 832 304
ffacs 832 782